KB196598

창비시선 127

이 가 림 시 집

순간의 거울

창 작 과 비 평 사

1 9 9 5

차   례

제 1 부 하늘을 걷는 사람

제 2 부 이슬의 꿈

제 3 부 어제의 꽃

제 4 부 아청빛 눈동자

제 1 부

하늘을 걷는 사람

석 류

언제부터
이 잉걸불 같은 그리움이
텅 빈 가슴속에 이글거리기 시작했을까

지난 여름 내내 앓던 몸살
더이상 견딜 수 없구나
영혼의 가마솥에 들끓던 사랑의 힘
캄캄한 골방 안에
가둘 수 없구나

나 혼자 부둥켜안고
뒹굴고 또 뒹굴어도
자꾸만 익어가는 어둠을
이젠 알알이 쏟아놓아야 하리

무한히 새파란 심연의 하늘이 두려워
나는 땅을 향해 고개 숙인다

온몸을 휩싸고 도는
어지러운 충만 이기지 못해
나 스스로 껍질을 부순다

아아, 사랑하는 이여
지구가 쪼개지는 소리보다
더 아프게
내가 깨뜨리는 이 홍보석의 슬픔을
그대의 뜰에
받아주소서

하늘을 걷는 사람

한 세상
쓰레기 치우는 청소부 되어
온갖 더러운 길 다 쓸고 쓸다가
이제는 큰 발자국 내이며
성큼성큼 구름밭을 걷는
사람이여

그러나
그대는 언제나 땅에 묶여 있는
하늘의 나그네
해질녘 흐릿한 알전등 아래 날아드는
하루살이떼같이
때 절은 드럼통 술상 둘레에
불그레 흔들리는
못난 이름들 그리워
뼈만 남은 한개 헐벗은 빗자루로 서서
오늘도 손 흔들고 있네

채찍 휘감기는 종의 잔등이 되라 하면
그 잔등이 되고
앉은뱅이 업어주는 발이 되라 하면
그 발이 되고
상처가 되고 감옥이 되고 죽음이 되어
떠돌고 또 떠돌다가
마침내 하늘과 땅 함께 걷는
우주의 주인이 되었는가

번갯불 번쩍이는 먹구름 사이로
언뜻 비치는
환한 얼굴 하나 보이네

2만 5천 볼트의 사랑

나는 지하철을 사랑한다
2만 5천 볼트의 전류가 흐르는
인천행 지하철에 흔들릴 때마다
2만 5천 볼트의 사랑과
2만 5천 볼트의 고독이
언제나 내 안에 안개처럼
넘실거리기 때문이다

징그러운 발을 감추고
안 보이는 한쌍의 촉각을 세운 채
음습한 곳에 묻혀 사는 벌레들을
마구 잡아먹는
한마리 길다란 지네

그 꿈틀거리는 몸뚱어리 마디마디
환히 불 밝힌 방 안에서
학생 공원 선생 군인 회사원

창녀 수녀 신문팔이 소매치기
이 땅의 눈물겨운 살붙이들 모두가
서로 뺨을 맞대고
서로 어깨를 비벼대고
서로 밀치고
서로 부추기고
서로 껴안으며
즐거운 지옥의 밧줄에 묶여 끌려간다

이리 부딪치고 저리 쓰러지는
그 장삼이사(張三李四)의 물결 속에
몸을 던져
나 또한 즐거이 자맥질한다

너의 살결에
나의 살결이 닿고
너의 숨결에

나의 숨결이 섞이는
황홀한 세상

거대한 군중의 파도가
물거품의 자취조차 없이
나의 파도를 삼킨다

나는 지하철을 사랑한다
2만 5천 볼트의 전류가 흐르는
인천행 지하철에 흔들릴 때마다
2만 5천 볼트의 사랑과
2만 5천 볼트의 고독이
언제나 내 안에 안개처럼
넘실거리기 때문이다

바지락 줍는 사람들

바르비종 마을의 만종 같은
저녁 종소리가
천도복숭아 빛깔로
포구를 물들일 때
하루치의 이삭을 주신
모르는 분을 위해
무릎 꿇어 개펄에 입맞추는
간절함이여

거룩하여라
호미 든 아낙네들의 옆모습

잠 자 리

이 가을날의
푸르른 투명함 속을
한번 날아보기 위하여
17년 동안이나
보이지 않는 알의 고독을
어둠의 땅에 묻어 키워왔느니

사람들아
아무렇게나 날 잡아
모가지를 비틀고
눈알 찌르고
꽁지에 피 흘리는 심지 박아
슬픈 노리개로 삼지 말아다오

나의 하루는
천년보다 긴 찰나
단 한번

땅 위를 굽어보며
꿈엔 듯 영원엔 듯
날고 싶다, 날고 싶다, 날고 싶다

찌르레기의 노래 1

별빛 초롱한
밤이면
찌르륵찌르륵 울며
네게로 가고 싶다

그렇게 맨몸으로
몰래 다가가서
내가 네 속에 스며들고
네가 내 속에 스며드는
그림자가 되고 싶다

아슬히 먼 은하수 길
날아가다가
끝내 지옥 바다에 떨어질지라도
한줄기 무지개 그리움으로 서서
손짓할 수 있다면
흑옥빛 눈물

반짝일 수 있다면

삼도(三途)내 기슭에 밀리어
허우적거려도 좋으리
별빛 초롱한
밤이면
찌르륵찌르륵 울며
네게로 가고 싶다

찌르레기의 노래 2

이 가지에서
저 가지로
몇번 옮겨앉다 보니
벌써 가을이라네

아무 데로도 이르지 못할
끝없는 안개길인 줄 알면서도
피안의 하늘 저쪽에
빼앗긴 마음
가눌 수 없어
둥지를 떠나고
또 떠났네

거대한 부자유의 뚜껑 밑에 갇혀
몇번이고
몇번이고 솟아오르다
곤두박질친 세월

이젠 지평선의 이름조차 잊어버려
까마득히 잊어버려
코 앞의 썩은 벌레나
쪼아먹고 있음이여

당신이 이 세상에서 한 일이
무엇이냐고
내게 묻는다면,
타고난 슬픔 몇소절을
메마른 입술로 물고 다니며
울었다는 것뿐이라고
대답하겠네

찌르레기의 노래 3

지상의 오막살이집 한채
그 아궁이에 기어드는 가랑잎같이
그대 따스한 슬픔에
내 언 슬픔을 묻을 수 있다면
이 세상 밤길뿐이었던 나날들
언제나 캄캄했다고
말하지 않으리

우리가 정녕
생의 거미줄에 매달린
하나가 되기 위한 두 개의 물방울같이
마주보는 시선의 신비로 다가간다면
번갯불 번쩍 내리쳤다 스러지는
그 찰나
그 영원 속에서
별 머금은 듯 영롱한
눈물의 보석 하나

아픈 땅에
떨굴 수 있으리

지상의 오막살이집 한채
그 아궁이에 기어드는 가랑잎같이
오늘밤
화알활 피어나는
그대 모닥불 품에
내 사그라져가는 영혼의 숯을
태우고 말리

가 물 치

매초 일만오천 톤의 흙탕물이
밀어닥치는 하구에서
한사코 하늘을 향해 튀어오르는
가물치 한마리

투망 던지는 눈을 조롱하며
물살보다 빨리 내닫는 힘
까마득한 낭떠러지 거슬러올라
기어이 가야 할 먼 강물의 뿌리 그리워
온 비늘로
삶의 독 내뿜고 있다

아아 슬픔에 파닥거리는 사람아
넋 기댈 데 하나 없는
칙칙한 수초들 사이
안 보이는 작살이 우리들 아가미를 노릴지라도
몸 속에 자유의 피 흐르는 가물치 되어

타고난 몸짓 뜨겁게 푸득거려보자

등비늘 온통 벗겨질 때까지

뒹굴어보자

순간의 거울 1

대지의 눈이
하늘의 거울을 바라보고 있다

눈 가장자리에
배 한 척이
가느다란 파문을 내이며 미끄러져 간다
몇마리 놀란 구름조각들이
물고기처럼 지느러미를 흔들며
잽싸게 흩어진다

길 모퉁이의 생

　살아 있는 것이 미안하다는 듯이 쪼그라진 늙은 짐
승 한 마리가 길 모퉁이 응달 아래 주저앉아 굴을 까
고 있다. 차갑게 소리내어 떨고 있는 카바이드불을 향
해 갈 곳 없는 성긴 눈송이들 몇점 날파리떼인 양 날
아와 치지직 타 죽는다. 새빨간 혈관의 네온사인이 도
시의 피를 빨아들이는 밤이 깊어가도 주름살 깊게 파
인 짐승은 곰팡이 핀 동굴로 쉬이 돌아갈 줄 모른다.
그의 그림자가 무지개빛 아롱진 개울까지 길게 뻗어
수륙 양서의 괴물처럼 웅크린 채 꿈꾸듯 꿈틀거린다.
아아, 아무도 보지 못했으리라, 카바이드불 꺼진 길
모퉁이에서 굴 까는 손이 시커먼 밤의 아가리에 물려
아귀아귀 뜯어먹히고 있음을! 구겨진 부대자루 하나
가 쓰러지듯 그렇게 그는 쓰러졌다.

겨울 열매

내 뻗쳐오르던 그리움
두 팔 벌려
하늘 한아름 껴안아보지도 못한 채
캄캄한 뇌우 속에
모질게 찢겨지고 말았으나
진흙탕 뒤안길
한줄기 살아남은 뿌리의 힘으로
기어이 버티어 일어선 목숨
어느덧
타는 땡볕과
매서운 서릿발의 밤을 지나
젊은 날의 푸른 상처 자국들
거의 다 지워지고
헐벗은 몇알 열매로
겨우 아물었음이여

삐비 팰 무렵

겨드랑이로
겨드랑이로 파고들어 간지럽히는
봄바람 등쌀에
키들, 키들, 키들 웃지 않고는 못 배기는
유월 한낮
달아오른 징소리보다 더 쨍쨍하게
눈 아픈 뙤약볕 내리꽂히는
둑길에 서서
머리 긴 용만이란 놈이
삐비 한움큼 쥐여주며
옥순이를 살짝 꼬드겼다
"니, 나하고 돈벌러 서울 안 갈래?"
그러자 달래마늘 같은 옥순이가
야멸찬 얼굴로 톡 쏘아붙였다
"니나 가서 돈 많이 벌어라.
난 여기서 배추농사 지을란다."

제 2 부

이슬의 꿈

이슬의 꿈

내가 이슬 되어
칼날 선 풀잎을 타고
차디찬 어둠을 넘어서 가는 새벽
그 실낱 같은 외길 끝에
언제나 나를 부르는 별 하나
떨고 있었네

천길 벼랑 위에
환한 금강초롱의 등불로 매달려
날 기다리는 얼굴 하나 있어
입술 터지고
무릎 피멍들어 문드러져도
캄캄한 안개 속
홀로 갈 수 있었네

삶은 온몸을 찰나에 내던지는
눈부신 죽음

그대와 나

조그만 빛의 이슬이 되어

생의 사닥다리

그 아득한 꼭대기에서 떨어지고파

부서지고파

벌거벗은 강

각시바위 아래
쏘가리들 몰래 숨어 노니는 곳
서리해온 뽀얀 털복숭아 마구 띄워놓고
입 찢어지게
아귀아귀 먹을 때
무지개빛 피라미들 간지러이
우리들 어린 고추를 톡톡 입질하며 달아났다

물안경도 없이
바위 밑을 슬슬 기던 개구리 같은 녀석들
돌멩이 두들겨
모래무지들 귀멀게 하고
팔 아픈 자맥질
숨가쁜 물먹이기 싸움에 지쳐
볼록한 참외배꼽 까맣게 드러내놓은 채
송장헤엄으로 하염없이 떠내려갔다

눈 시린 대낮
키 큰 포플러 잎새들 사이로 엿보던
새하얀 구름 하나
파랗게 질린 얼굴로 소리쳤다
"애들아, 물귀신 나온다!"

인천, 1993년 겨울

한가닥 긴 연기의 뱀이 해의 목을 칭칭 감아 조르고, 허옇게 식은 노을이 제분공장 뒤에 엎드려 숨가쁜 기침을 하며 구멍난 깔때기로 피를 토한다. 회오리바람에 날리는 휴지조각인 듯 재갈매기들이 공중에 나부끼다가 우수수 떨어져 비닐 쓰레기와 함께 기름 웅덩이에 처박힌다.

30년 전의 자장면을 먹기 위해 찾아온 떠돌이와 25년 전의 소라껍데기를 주으러 온 여자가 벌이는 열없는 정사처럼 뻣뻣한 다리를 짝짝이로 뻗고 있는 방파제. 그 끝에 엉거주춤 서서 피로한 눈꺼풀 껌벅이는 추운 사내를 향해 나는 하염없이 하염없이 걸어간다. 발정한 상어떼의 울부짖음 들리는 난바다로 나아가지 못한 채 언제나 연안의 모래짐만을 퍼나르는 멍텅구리 배. 그 몸통만의 짐승 같은 배 그늘에 떠서 출렁이는 끊어진 부표 하나.

사   랑

밤의 봉우리를 넘고 넘어
부르튼 발이 가까스로 다다른 마을의
잠들지 못하는 호야불

한 월남 난민 여인의 손

송코이 강가 마을에서 연초록 풀잎으로 태어난 손,
땡볕에 그을린 웃음 깔깔거리며 고무줄놀이 하던 손,
바구니 가득 망고를 따던 손, 한모금 처녀의 샘물을
움켜쥐던 손, 불타는 야자수 그늘 아래 물소를 몰던
손, 느닷없이 M16 총알의 탄피가 스쳐간 손, 칼에 찢
긴 손, 밧줄에 묶인 손, 코브라의 목을 조른 손, 송장
을 불태운 손, 빵과 옷을 훔친 손, 가짜 입국사증과
약혼반지를 바꾼 손, 피의 강을 헤엄쳐온 손, 대양에
던져져 살려달라 살려달라고 외친 손, 어머니 사진을
찢어버린 손, 아아, 마침내 남의 땅 구정물통에 빠진
손, 인천 신포동 술가게에 팔려온 손, 악어 잔등보다
더 거친 손, 내가 입맞추고 싶은 거룩한 슬픈 삶의
손.

진눈깨비

누가 버리고 간 것일까
터진 시멘트 길바닥에 늘어붙은 채
뭇 발자국에 짓밟히고 짓밟히는
진눈깨비 속의
신문지 한 장

한창 전쟁준비중인
무소를 닮은
먼 나라 대통령의 얼굴이
필사적으로 웃고 있다

영 종 도

붕붕거리는 서울의 물방개들
줄줄이 기어올라와
물기 빠진 여자의
겨드랑이 간지럽히고 사타구니 파고드니
키득키득 망둥이 웃음 흘린다

재갈매기들이 라면 찌꺼기를 기웃거리는
제방에 걸터앉아
산낙지를 아귀아귀 물어뜯던 자들
하나씩 게구멍으로 숨어버린
밤

허옇게 죽은
문어대가리 같은 가등 아래
하루살이들끼리 모여
찢어진 사랑의 노래를
하염없이 불러댄다

내 고향 선배 하나가 중 노릇 하고 있는
용궁사 가는 길

가다 말고
늘 헛발 디디는 곳,
술의 개펄에 빠지고야 마는
섬이여

나귀처럼

이젠 나귀처럼
수레 끄는 내 어깨의 멍에를 벗기보다는
선한 복종을 배우리

이젠 나귀처럼
약한 자의 먹이를 빼앗기보다는
내 몫의 풀과 여물만을 먹으리

이젠 나귀처럼
내 새끼를 훔치는 이리를 쫓기보다는
구멍 뚫린 울타리의 밤샘꾼이 되리

이젠 나귀처럼
매서운 겨울을 피해 홀로 숨기보다는
우리들 무리의 언 살 녹여주는 이불이 되리

이젠 나귀처럼

죽음의 문턱 앞에서 떨기보다는
그저 몇방울의 눈물을 떨구리

선   돌

이 세상 머리 둘 곳 없는
슬픔도 받아주고
더불어 썩을 자리 하나 없는
쓰레기도 받아주는
한량없이 깊은 어머니의 땅 한복판에
떠돌다 떠돌다가 내리꽂힌
한 사나이의 피묻은 외침

물수제비 뜨기

내가 던진 돌멩이가
물 위를 담방담방 뛰어가다가
간 곳 없이 사라진다
측심기로 잴 수 없는
미지의 바닥에 돌멩이는 잠드는 것일까
잠시 일렁이던 파문도 자고
물 거울에 뜨는 산 그림자의
입 다문 얼굴,
나는 무감동한 고요를 깨뜨리기 위해
또 하나의 돌멩이를 멀리 팔매친다
죽음에 배를 대고
팽팽한 찰나만을 디디고 가는
한줄기 생명의 퍼덕임을
어렴풋이 보았다
아이와 함께
물수제비 뜨는 날

시인의 피

불의 집 속으로 뛰어들어
재가 된 미치광이
신발 한짝 벗어놓고 가버린
춥게 춥게 살았던 떠돌이
그의 영혼의 말 못하는 아이가
옛 우물에서
도르래로 길어올린 시의 물통을
아버지 자전거에 싣고 왔다
오늘 아침
말라 죽어가는 나무의 머리에
다시 물을 부으러

오랑캐꽃 8

엄니, 나 돌아갈 거야!
그 좋았던 가슴팍
바람 빠진 풍선같이 폭삭 꺼졌을망정
포기될 수 없는 희망 앞에서
가진 것은 가느다란 두 팔밖에 없을망정
이빨 질끈 악물고
끊어질세라 끊어질세라 이어온
이 원수 같은 계만 끝나면
엄니, 나 돌아갈 거야!

오랑캐꽃 9

성난 비 몰아쳐
비닐우산 같은 이 나날의 뒤집힘
마저 걷어가버렸으면,
덕지덕지 새하얀 분 바르고
헌 사내 하나 꼬여
아무도 가지 않는
먼 안개 나라에 숨어버렸으면

패랭이꽃 같은 가시내 삼례도
전주로 시집갔다는데
삐비꽃 같은 가시내 정순이도
서울로 시집갔다는데
달래 같은 가시내 숙자도
L.A.로 시집갔다는데……

성난 비 몰아쳐
비닐우산 같은 이 나날의 뒤집힘

마저 걷어가버렸으면,
덕지덕지 새하얀 분 바르고
헌 사내 하나 꼬여
아무도 가지 않는
먼 안개 나라에 숨어버렸으면

오랑캐꽃 10
슬픈 귀향

밤으로 빠져나온 곳
이끌리어, 다시 이끌리어
예까지 몰래 왔다

범인이 현장에 다시 찾아가듯
지금 갈꽃 날리는 방죽가에 돌아와
숨어서 바라본다
엎드린 게딱지 지붕들의
촉수 낮은 불빛을

성큼 들어서지 못하고
문 밖에서만 엿보는 마당
퀴퀴한 청국장이라도 끓이고 있는가
어둑한 부엌에서
새어나오는 어머니의
밥그릇 달그락거리는 소리

나는 돌아가야 한다
부서진 얼굴을 감추고
돌아가야 한다
저 번쩍이는 도시의 수렁 속으로
밤 속으로

내 친구 나무를 생각함

지난해 가을
전기톱날에 베어지던 너의 목을
물끄러미 바라보면서
나는 속으로 중얼거렸다
땅에 붙박혀 떠나지 못하는 자의
뼈 시린 겨울잠이 이제 시작되는 것뿐이라고

먼 데서 돌아오는
새들의 날갯짓 소리에
언 흙 풀리는 봄날
갑옷보다 더 두꺼운 껍데기를 헤치고
잘라진 몸뚱에서부터 손을 내뻗는
눈물겨운 생명의 외침을
다시 보게 되리라고
나는 쉽사리 믿었다

그러나 오늘

맨살로 서서 산성비 맞는
머리 없는 불구자,

너는 단지 농성꾼들의 현수막을 위하여
무수히 못 박힌 기둥이 되었다
이 아우성의 세상을 향해
한마디 작대기 같은 벼락을 내려칠 듯
죽어서 더 꼿꼿이 서 있는
선사(禪師)처럼

감 자 꽃

　투창에 등어리를 찔린 황소처럼 씩씩거리며 트럭 한
대가 시커먼 그을음을 잔뜩 토해놓고 달아난 뒤, 버짐
먹은 아스팔트 길바닥에 굴러떨어진 감자 한 알이 도
르르 공사장 흙더미 속에 처박혔다. 잠시 몸을 숨길
사이도 없이 포크레인 손아귀에 걸려든 감자의 몸뚱어
리는 소리쳐도 소리쳐도 안 들리는 꽝꽝한 어둠 밑에
깔렸다. 갈기갈기 흩어진 살점들은 이내 썩어 물이 되
었다. 오직 눈동자만 살아서 파랗게 불을 켠 채 꼼짝
않는 밤을 안고 진땀나게 뒹굴고 또 뒹굴었다. 아아,
그 누군들 알았으랴, 깊은 상처의 어깨로 절망의 뚜껑
을 밀어올리고 마침내 빠끔히 열린 하늘을 향해 "난
살아 있다!"고 소리칠 줄이야. 가시 면류관인 양 비
닐 쓰레기를 머리에 이고 시멘트 틈바귀에서 일어선
꽃, 피멍빛 꽃.

제 3 부

어제의 꽃

밤의 끝

내 청춘은
지하철 레일처럼
짓눌렸다

쇠바퀴 밑에서 닳아진
나의 생
온통 부서져버린 얼굴의
생

사철
추운 바람이
내 주위를
내 속을
휩쓸고 있다

그러나
우연과 필연으로 찢겨진

나의 길에도
새벽노을의 나라가 열리리라는
실낱 같은 꿈
지울 수 없다

시커먼 입의 밤 밑에서
억누르는 밤 밑에서
나는 엎드려 기다리고 있다
또 하나의
쇠바퀴 소리를

나누어진 하늘 아래서

나누어진 두 개의 하늘을
가로질러가는
가을 기러기떼 그림자
창호지에 얼비칠 때
시인이라는 자가
어찌 무심히 그 행렬을 그리고만 있으랴

사십 년 동안의 비에
쇠다리가 녹아버리고
억센 갈대 무성한 땅 멀리
흐르지 못하는 강이 괴어 있음을
시인이라는 자가
어찌 소리 죽여 울고만 있으랴

불같은
가슴에서 흘러나오는 피의 잉크
숨쉬는 펜으로

저 들판에 잠든 돌들을
깨어나게 해야 하리

저 언덕에 엎드린 풀들을
일어서게 해야 하리

저 골짜기에 파묻힌 뼈다귀들을
소리치게 해야 하리

아아
저 찢긴 하늘가에 떠도는 아우성들을
얼싸안게 해야 하리

뚝뚝 흐르는 피의 잉크
부릅뜬 펜으로

눈

너는
스러지기 위해
잠시 땅 위에 내리는 눈

알 수 없는 바람결에 왔다가
때묻은 이름으로 불리기 전
먼 부재의 기슭으로 떠나가는
새

너의 슬픔은 너무 가벼워
살아 있는 자의 가슴에
더욱 오래 머무르는 그림자를 남긴다

드높은 창공에까지 날아오르지 못한 채
나 사는 지붕 위를
한없이 맴돌고만 있는
둥지 없는 혼

너는

스러지기 위해

잠시 땅 위에 내리는 눈

하나가 되기 위한
빗방울들의 운동

까마득한 높이에서
빗방울들이 수직으로 떨어진다
죽음조차 두렵지 않다는 듯
해맑은 얼굴로
떨어진다

떨어지는 빗방울들은
산산조각 제 몸을 땅에 바친다
아까울 것 하나 없는 운명이라는 듯
제 몸을 바친다

낮은 데로 낮은 데로 흘러
모여서
더이상 갈라서지지 않는
하나의 무리가 되어
나아갈 제 길을 스스로 만든다

사람들은 믿지 않는다
홈통을 타고 흘러내리는
이 조그만 것들의 가느다란 소리가
꽉 막힌 하수구를 뚫고 둑을 무너뜨리고
콘크리트 장벽을 허물게 되는 것을

하나뿐인 제 몸을 내던져
살갗과 살갗 서로 부비는
저 빛 머금은 눈물 같은
목숨들의 발걸음!

상 실 1

비루먹은 말같이
그렇게 밤기차가 청승스레 울고 간 뒤
어린 별들이 하나씩 떨어지는 둑길에 앉아
누구라도 담뱃불 하나 빨갛게 붙여주면
밤새도록 목마름의 심지 헛되이 태웠다

무너진 둑 아래로 시든 분꽃들 구겨져 버려지고
벌겋게 취한 달도 개울창에 빠져
새기지 못하는 외로움을 게워대던
값싼 8월의 그믐밤
아아, 시커먼 기적소리와 함께 빼앗겨버린
밤꽃 향내 나는 동정이여

상 실 2

주홍빛 천국

사닥다리를 타고 올라가는 하늘의 방이 빠끔히 들여
다보이고 있었다. 들여다보이는 방에 머리를 빗으며
있는 여자의 수밀도빛 젖무덤이 들여다보이고 있었다.
밤이 괴어 썩고 있는 거리에서 길을 잃고 쓸쓸한 것이
좋아진 누구든지 들어와도 좋다는 주홍빛 천국의 반쯤
열린 불빛이 흐르고 있었다.

어둠의 구멍에서 기어나온 어떤 꽃뱀의 입술이 내
입술을 스쳐갔는지 잠깐 색다른 영원이 지나갔다. 그
꽃뱀은 메꽃 향기 자욱한 방바닥에 몸을 누이며 긴 팔
로 내 몸을 휘어감았다. 맨 처음 천국에 들어선 그날
하얀 불꽃 같은 별들이 천장에서 수없이 쏟아져내렸
다.

공동우물이 있는 마을의 저녁

이웃집 굴뚝에
저녁 연기 없으니
목구멍으로 밥알 넘어가지 않는다
수제비국 넉넉히 끓여
한사발씩
나누어 먹고 싶다

공동우물 가에서
뜨거운 김 서리는 얼굴들 마주보며
두레박으로 물 길어올리는 소리
아름다워라, 가파른 천상의 언덕으로 지고 가는
꿰맨 바지들의
물지게 소리

도깨비불

단 한번만이라도
꺼지지 않는 사랑 보듬어보기 전에는
늪 속에 빠져 죽을 수가 없어
밤마다 얼굴 없는 절망을 껴안고
공중에서 떠돌아다니는 사내의
시퍼런 시퍼런 그리움

늪

계엄령 속의 꿈

몇시쯤이나 되었을까. 지폐처럼 쭈그러진 노파 하나
가 비스듬히 의자에 기대어 餓死를 기다리고 있었다.
캄캄한 방에서 나는 신발 한짝을 잃어버린 채 헤매고
있었는데, 문득 목마르게 그리워했던 여자의 체온을
어루만져보고 싶었다. 떨리는 손으로 허우적거리며 보
이지 않는 여자를 향하여 나는 가만히 이름을 불렀다.
어둠! 어둠! 어둠! 나는 나도 모르는 사이에 인적
이 끊어졌다고 생각되는 텅 빈 복도를 빠져나와 어둠
밖으로 달려갔다. 그러나 총에 맞은 새처럼 달빛이 흥
건한 환상의 층계에서 굴러떨어졌다. 그러자 어디선가
수억만 개의 박수와 같은 웃음소리가 비 오듯 들려왔
다. 나는 서서히 늪에 가라앉고 있었다.

봉인된 시간 속에서

안드레이 타르코프스키를 생각함

봉인된 시간의 벽에
시의 사닥다리를 걸쳐놓고
그 아슬한 꼭대기에 서서
한조각 별밭 하늘 쏟아질 구멍을 뚫기 위해
옹이 박힌 손으로 내리치는
그대의 망치소리
지금도 들린다

납뚜껑 같은 하늘을 깨뜨리고
부자유의 이마에
징 박는 노여움
'예술가는 그 혼을 위기에 내던져야 한다'고
한마디 벼락의 말
세계의 저쪽에서
탄환처럼 날아와 내 심장에 박힌다

한국어 시간

루앙 시편 1

써먹을 데가 없는 말을
수요일마다 만나서 가르친다

써먹을 데가 없는 말을 배우러 오는 입양아
들랑드,
제르멘느,
샬린느……
그런 이름의 너희들과
써먹을 데가 없는 말을 헛되이 가르치는 나는
이곳에서
누구인가?

봉주르 — 안녕하세요 — 봉주르 — 안녕하세요
오르봐르 — 안녕히 계세요 — 오르봐르 — 안녕히 계
세요

써먹을 데가 없는 지구 한 모퉁이의

기묘한 사투리를

한핏줄의 아이들에게

수요일마다 가르친다

어제의 꽃

루앙 시편 2

허겁지겁
달려서 갈 적마다
위고의 딸이 살았다가 죽었다는 집의
문은 언제나 닫히기 직전

빌끼에 마을을 밋밋하게 돌아서 흘러가는
강 하류에 서서
개망초꽃 머리에 떨어지는 빗방울들이나
무심히
바라다볼 뿐

어제의 꽃 한송이
피었다가 졌다는 소식
한마디
도무지 물어볼 길 없네

커다란 창조의 수레바퀴는

사람들의 자잘한 슬픔 앞에서 멈출 수 없어
어린 영혼까지도
밟고 지나가는 걸까

비바람에 지워져가는
돌무덤 위의
이름 하나

지난해의 새들은 어디로 갔는가

그해 겨울
마른 번갯불에
금간 하늘,
한 방의 난데없는 총성의 메아리가
캄캄한 골짜기에 처박혀서
돌아오지 않았다

우리들은 모두 조금씩 날개들이 찢겨진 채
흩어졌다

모이를 주워 먹기 위해
하늘을 등져버린
슬픈 새새끼들……

고정만이는
빈 술병들이 늘어서 있는 서울의 한 동굴에서
세상 모르고 잠자는 중이라고 한다

김수연이는
발레리 공부를 때려치우고
센 강물을 날마다 한지게씩
팔아먹고 있는 중이라고 한다

최민균이는
카메룬에서 키니네에 찌들은 위장을
꿰매고 있는 중이라고 한다

정낙서는
느닷없는 차바퀴에 깔린 창자들이
아스팔트 위에
꿈틀거리고 있는 중이라고 한다

1989년 1월 13일 오전 10시
눈비 젖어 배달된

한 통의 편지

뚜껑을 열면
장진된 폭약처럼 터질 것 같아
땅에 묻고만 싶은
한 통의 편지

제 4 부

아청빛 눈동자

해 돋 이

출산의 피처럼
뜨겁게 출렁이는
크고 둥그런 바다의 자궁 한복판에서
태어나는 불덩어리

들끓는 물 위에 피어오르는
진홍 꽃

마흔살 사내의 가슴에 고인
일만 평방미터의 망망한 비애 따위
단숨에 불살라버릴
부채살 같은
빛이여

오늘도 가파른 산길 기어올라
아득한 벼랑 끝에 서서,
안 보이는 새벽노을의 나라

한없이 걸어가고파

머얼리

신발 한짝을 벗어 던진다

슬픈 반도

물방울이 돌을 뚫는 끈질김보다
아득한 세월 동안

우리는
쑥을 먹었다
우리는
마늘을 먹었다
우리는
흙과 바람과 구름을 먹었다
우리는
땡볕과 깜부기를 먹었다
우리는
시퍼런 놋쇠를 먹었다
우리는
쇠죽 같은
술지게미를 먹었다
우리는

먼 나라에서 온
깡통을 먹었다

아아 !
우리는
그 무엇보다
짜디짠 눈물을 먹었다

물방울이 돌을 뚫는 끈질김보다
아득한 세월 동안

솔바람 소리 속에는

솔바람 소리 속에는
뒤돌아, 뒤돌아보며 떠나간 사내의
못내 아쉬운 마지막이
보이는 듯
보이는 듯도 하여라

솔바람 소리 속에는
우우우, 우우우 밀려가던 아우성의
목메인 성난 물결이
살아나는 듯
살아나는 듯도 하여라

솔바람 소리 속에는
지나가, 지나가버려 다 잊어버린 어매의
이젠 서러울 것조차 없는 한평생이
흐느끼는 듯
흐느끼는 듯도 하여라

솔바람 소리 속에는
산비탈 기어올라 칡뿌리 캐던 어린 날의
푸른 상채기뿐인 얼굴이
숨어 있는 듯
숨어 있는 듯도 하여라

솔바람 소리 속에는
기어이, 기어이 피어나고야 말 그리움의
먼 강물 같은 이야기가
흘러가는 듯
흘러가는 듯도 하여라

갈매기 벗삼아

갈매기 벗삼아
술 한잔 마셨으면
이런 날
먼 데서 잃어버린 소식 하나쯤
찾아왔으면……

피 엉기듯
벌겋게 번지는 수평선 너머로
하루가 피곤한 날개를 접는 때,

빈 하늘
머흘다 흐르다
떠나가는 구름조각 바라보니
슬프고 황홀하여라

끝없는 헛수고 모두
땅에 묻고,

제 날개에 미끄러져 도는

갈매기인 양

푸른 물이랑에나

뒹굴었으면……

팽 이

내 몸을 쳐라, 더 세게
내 몸을 쳐라, 더 세게
내 몸을 쳐라, 더 세게

비틀거릴수록
더욱 매섭게 내리쳐라

온몸을 휘어감는 채찍 아래
터지는 피멍울

이 몸부림
이 현기증 없이는
한순간도
홀로 꼿꼿이 서 있을 수 없어라

산다는 것의 비겁을
중얼거릴 사이도 없이,

산다는 것의 설움을
소리 죽여 울 사이도 없이,
스스로의 둘레를 핑핑 돌고 있는
숨가쁜 목숨

끝내 오고야 말
황홀한 죽음 같은 정지의
그 뜨거운 땅
한복판에
거꾸러지고 싶어라

내 몸을 쳐라, 더 아프게
내 몸을 쳐라, 더 아프게
내 몸을 쳐라, 더 아프게

귀   가

하나님이나 되듯
양철 함지박을 이고 다니며
못생긴 꼴뚜기, 갈치 따위를 팔다가

발바닥에 물집 생겨
물집 터져
쓰라림도 그 무엇도 아닐 때까지
팍팍한 하룻길 돌고 돌아
솔, 좀약, 양말, 고무줄, 수세미 따위
알록달록 잡동사니 팔다가 팔다가

언제나 자정 넘어 돌아오는
그 몸뻬 입은 여자의
삐걱 소리 삐걱 소리 손수레의 삐걱 소리

한마리 더러운 하마 같은
그 여자가

돈을 속곳 깊숙이 감추어둔 그 여자가
오늘 마침내 시립병원에서
쓰러졌다고 한다
오늘 마침내 장사를
마감해버렸다고 한다

멀고 먼 어둠 저쪽에서
들려오는
삐걱 소리 삐걱 소리 손수레의 삐걱 소리

목 마 름

玉峰 李氏에게 보내는 편지

그대가 밤마다

이곳 문전까지 왔다가 가는

그 엷은 발자국 소리를

내 어찌 모를 수 있으리

술 취하여

그대 무릎 베개 삼아

잠들고 싶은 날

꿈길

어디메쯤

마주칠 수도 있으련만

너무 눈부신 달빛 만리에 내려 쌓여

눈먼 그리움

저 혼자서 떠돌다가

돌아올 뿐

그동안
돌길은 반쯤이나 모래가 되고
또 작은 모래가 되어
흔적조차 사라져

이젠 내 간절한 목마름
땅에 묻고
다시 목마름에 싹 돋아
꽃필 날 기다려야 하리

우리들의 둥지

목쉰 「라 마르세예즈」를 부르며
찢겨진 지성의 깃발을 펄럭이는 행진밖에
더 나아갈 길이 없었던
일그러진 풍경의 시커먼 거리
그 잿더미 속에서
상처 입은 날개 퍼덕이며 태어난
전후(戰後)의 새 몇마리,
이끼 낀 명륜뜰
마지막 증언처럼 늘 그렇게 서 있는
은행나무 가지 위에
둥지를 틀었네.

사나운 바람 몰아치는 날에도
사랑의 불씨 물어 나르고
캄캄한 먹구름 몰려오는 날에도
자유의 불씨 물어 나르고
매운 눈보라 내리치는 날에도

정의의 불씨 물어 날랐네.

무너진 극장무대 같은
명륜동 앞길로 전차가 지나다니고
구멍 뚫린 카키빛 작업복 주머니 속에
등사판 잉크냄새 풍기는 교재를
세기아(世紀兒)처럼 꽂고 다니던 시절,
우리들 가난한 로코코 선생의 눈물겨운 몸짓 따라
꼬르네이유의 「르 씨드」를 흉내내다
밤새도록 허기진 막걸리를
퍼올렸네.

비에 젖은 날개
벽에 부딪친 이마의 상처를 감싸며
세찬 회오리 속을 뚫고 온
끈질긴 목숨의 새들
또 알을 까고 새끼들을 쳐서

이젠 부리가 이쁜 것들 서로 모여
포르르포르르
제법 나는 연습들을 하고 있네.

푸른 하늘을 이고 서서
수천 수만의 눈부신 이파리로 손짓하는
나뭇가지마다
포근한 둥지 만들어
힘차게 지저귀는 금빛 새들의 소리
커다랗게 날개치는 소리
울려퍼지네.

아아, 머나먼 무한을 꿈꾸는 어린 새들
가장 높이 나는 법과
가장 멀리 나는 법을
열심히 열심히 배우고 있네.

서대전역

부르튼 가락국수 한그릇

후룩 마시고 난 뒤

돈 달랑 떨어져 갈 곳 아득해진

새까만 소녀 하나

출구를 빠져나오자마자

흰 벌떼인 양 어지러이 달려드는 눈보라의

시멘트 광장

지금은 닻을 올릴 때

두 팔 벌려
한아름 껴안아야 할 햇덩어리가
어둠을 사르고
다시 한번 태어나는데,
어찌 어제의 사슬에 묶여
피곤한 닻을 내리고만 있으랴

이 썩어가는 욕망의 도시로부터
이 믿을 수 없는 거짓의 웃음으로부터
이 엉큼한 음모의 손아귀로부터

우리 모두 떠나자,
새날의 닻을 함께 올려
아침놀 빨갛게 이글거리는 수평선을 향해
벌거벗은 마음으로
떠나자

피투성이 삶의 시장터에서
빵 부스러기에 눈이 멀어 다투던 자여,
지금 먼 바다에서 온 싱그런 바람이
그대의 일그러진 이마를 어루만지고 있음을
알지 못하느냐
그 바람은 여늬 바람이 아니라
그대의 언 가슴을 녹일
사랑의 입김이다

속임수가 속임수를 낳는 컴컴한 골목에서
사시사철 때묻은 골패짝을 뒤집던 자여,
지금 열린 문 틈새로 스며드는 빛줄기가
그대의 안개 낀 눈앞을 밝혀주고 있음을
보지 못하느냐
그 빛은 여늬 빛이 아니라
그대의 끝없는 잠을 깨울
정의의 칼날이다

큰 소리가 작은 소리를 죽이는 광장에서
목쉰 확성기로 울부짖던 자여,
지금 아우성의 벽을 뚫고 달려오는 푸른 목소리가
그대의 귓전을 울리고 있음을
듣지 못하느냐
그 목소리는 여늬 목소리가 아니라
그대의 찢겨진 상처를 덮어줄
자유의 꽃잎이다

비둘기떼처럼
수천 수민의 날갯짓으로 피어오르는 새벽
말갛게 얼굴 씻은 해를 마주하며
우리들 동시대의 배는 마침내
새로운 미지의 바다로 나아간다
그 어떤 압제의 손으로도
다시는 이 평화의 뱃머리를

거꾸로 돌릴 수 없으리라

선장은 선장의 자리에서
선장다웁게
키잡이는 키잡이의 자리에서
키잡이다웁게
갑판원은 갑판원의 자리에서
갑판원다웁게
화부는 화부의 자리에서
화부다웁게
일하며 노래할 때

이 세기의 마지막 페이지가 닫히기 전에
우리들의 배는
흩어진 사람들 어우러져
둥그렇게 둥그렇게 춤추는 나라
그리운 세상에 기어이 닿으리라
기어이 닿으리라

질경이풀

뙤약볕 아래
타는 뙤약볕 아래
땀방울 아롱진 얼굴을 감추며
서로 맨살결 맞대는
질경이풀들

칼에 베어져서도
더욱 굳센 넋으로 기어이 일어서
푸르른 목숨의 뿌리
박혀 있는 땅
한뼘도 빼앗길 수 없음을
나직이 소리치고 있구나

아배들의 아배들의 아배들이
밟고 간 길
아배들의 아배들의 아배들의 아배들이
밟고 갈 길

거 꾸 로

그는 24시에 아침 식사를 하고
7시에 잠자리에 든다

그는 별들을
비둘기가 쪼아먹는 모이라고 믿는다

그는 언제나 말하기 위해 침묵하고
침묵하기 위해 말한다

그는 한밤을 통해
대낮을 본다

가는 내일로 걸어가기보다는
옛날의 샘가로 뒷걸음친다

조금씩 조금씩
아이가 되기 위해

헛 수 고

힘껏 방아쇠를 당겨
언어의 탄환을 쏘아보아도
한사코 과녁 밖으로
빗나갈 뿐이니

아아, 헛되고 헛되도다
새 한 마리 떨어뜨리지 못하는
미친 시인의
사격술이여

술을 마실까,
세상 모르고
짐승같은 사랑의 수렁에
빠질까

텅 빈 방아쇠 소리
저 혼자 울리는

창 없는 방에 갇혀

박쥐처럼

벽에 이마를 부딪치는

나날

아청빛 눈동자

그대 아청빛 눈동자에 고인 하늘을
나는 날마다 표주박으로 떠마신다

거칠고 싱싱한 인간의 고리

최   원   식

아나똘 프랑스는 독서를 '걸작들 사이에서 이루어지는 영혼의 모험'이라고 멋지게 비유한 바 있지만, 이가림의 시세계에는 시인이 탐닉했던 다양한 독서경험이 매우 또렷이 드러나고 있어서 이채롭다. 가령 그의 처녀작 「빙하기」(1966)는 '장 밥티스트 클라망스에게' 바쳐진 것인데, 이 시를 제대로 이해하기 위해서는 오란다의 우울한 북국 풍정을 배경으로 한 까뮈의 소설 『전락』(1956)에 대한 일정한 이해가 전제되어야 할 터이다. 그리하여 그의 시집 『유리창에 이마를 대고』(창작과비평사 1981)는, 이규보(李奎報)를 빌어 말한다면, '귀신을 수레에 가득 채운 체(體)'라고 불러도 좋을 만큼 인유(引喩)로 그득하다. 그가 좋아하는 비용·보들레르·엘뤼아르 등 프랑스 시인들을 비롯하여 정지용(鄭芝溶)·백석(白石)·이용악(李庸岳) 등 30년대의 빛나는 우리 시인들이 이가림 시세계의 바탕을 이루고 있는 것이다.

그렇다고 그가 선배 시인들을 베꼈다는 것은 물론 아니다. 여기에는 그 특유의 예술적 댄디 취향이 작용하지 않은 것은 아니로되, 그가 문제삼는 것은 항상 당대의 우리 현실이기 때문에 그의 시는 문학적 귀신들과 끊임없이 대면하면서도 그들에게 투항하는 일은 좀체로 일어나지 않는 희한한 긴장을 유지하였던 것이다. 그는 일견 매우 격정적인 낭만주의풍인 듯, 기실은 그 격정을 매양 문학적 콘벤션에 갈무리하는 고전주의적 작풍을 견지하는 드문 시인의 하나였다.

그런데 이번 시집에는 그 많던 귀신들이 거의 자취를 감추었다. 이것이 크게 달라진 점인데, 한편 섭섭한 마음도 없지 않다. 작품을 앞에 두고 그 작품의 원류를 찾아 시간을 거슬러 오르락내리락하는 재미도 그의 시를 읽는 곡진한 맛의 하나이기 때문이다.

그러다가 나는 '옥봉(玉鋒) 이씨(李氏)에게 보내는 편지'라는 부제가 붙은 「목마름」이라는 시를 발견하였다. 이 시의 3연은 절창에 가깝다.

꿈길
어디메쯤
마주칠 수도 있으련만
너무 눈부신 달빛 만리에 내려 쌓여
눈먼 그리움
저 혼자서 떠돌다가
돌아올 뿐

옥봉 이씨? 나는 서가를 뒤지다가 김안서(金岸曙)가 조선왕조의 규수시인들의 한시를 가려 번역한 『금잔디』(동방문화사 1947)를 뽑아들었다. 종실(宗室)로 옥천군수를 지낸 이봉(李逢)의 서녀로 태어나 조원(趙瑗)의 소실이 되었던 이 기구한 여성은 16세기 후반에 활동한 여류시인, 이름은 숙원(淑媛) 호는 옥봉이었다. 전란으로 흩어진 그녀의 시편들은 『가림세고(嘉林世稿)』의 권말에 부록으로 30여 편이 거두어짐으로써 겨우 인멸의 위기를 넘겼다는데, 이가림이란 필명이 이 책이름에서 유래한 것인가? 이가림 시인의 모던한 외관의 저 깊숙이 옥봉은 그의 시의 첫 애인일지 모른다는 생각이 내 뇌리를 스치고 지나간다.

옥봉의 시를 읽으며 "허난설헌(許蘭雪軒)과 난형난제(難兄難弟)"라는 기존의 평가가 헛소문이 아님을 확인하던 차, 나는 「꿈」(원제는 「自述」)이란 시에 눈길이 멎었다. 안서의 번역과 원문을 함께 인용한다.

이 근래 우리 님은 어이 지내나
사창에 달 밝으니 생각 간절타
오고 가는 꿈길이 자취 있어란
그 문전 차돌밭이 모래 되련만
　　近來安否問如何　月到紗窓妾恨多
　　若使夢魂行有跡　門前石路半成砂

특히 "若使夢魂行有跡　門前石路半成砂"는 그야말로 인구(人口)에 회자(膾炙)되는 유명한 구절로 서도소리의 여왕 「수심가」에도 가사의 앞머리에 놓여 있는 것이다. 약간은 귀기가 서린 이 구절의 작자가 옥봉이라는 사실을 이번에 새삼 확인하게 되었으니 이 또한 망외의 소득이다.

이가림 시인의 「목마름」은 옥봉의 「꿈」에 대한 화답의
노래이다. 조선왕조의 문학사에서 옥봉을 비롯한 여류의
문학은 매우 독특한 위치를 차지하고 있다. 막스 베버의
가산제(家産制)를 들먹이지 않더라도, 군주의 지배가 가
권력(家權力) 행사의 국가적 확대 위에 기초하고 있는 조
선왕조 사회에서 여류의 삶의 조건 자체가 사회 전체를
전일적으로 지배하는 가부장제의 변두리에 자리하기 때문
에 그녀들의 문학은 남성원리에 대한 어떤 반역을 꿈꾸기
마련이다. 물론 모든 여류가 그렇지는 않다. 때로는 남성
보다도 더욱 완강한 가부장제의 담지자로서 대리의 역할
을 충성으로 밀고 나갔던 경우도 많았지만, 뛰어난 여류
문학은 의식적이든 무의식적이든 자기 시대와 심각한 불
화를 예감하였던 것이다. 그런데 이 불화는 남성문학과
달리 대담한 사랑노래로 표현되곤 했던바, 그 노래들은
연애시로서 온전함을 획득하면서도 예교질서에 묶인 감성
의 해방이라는 근대성의 조숙한 표상 역할까지 감당하였
다. 이 때문에 나는 '님이 부재하는 시대' 또는 '님이 침묵
하는 시대'에 님에 대한 갈애(渴愛)를 백번이나 단련한 금
결 같은 언어로 노래한 20년대 시, 특히 소월(素月)과 만
해(卍海)의 원형을 이들 여류시에서 보는 터이다. 이처럼
일찍이 우리 시에 근대적 숨결을 불어넣었던 조선왕조의
여류시가 시간의 바다들을 가로질러 이가림 세대에까지
이어지고 있다니! 진정한 시인의 쉬임없는 목숨의 꿈이
란 자연과 인간, 주인과 노예, 남성과 여성 등등 모든 이
항대립이 해체되는 세상에 대한 그리움일진대, 그런 세상
을 열어나갈 황금의 고리는 어디 있는가? 이것이 바로
4·19혁명 이후 민족문학운동에 투신한, 이가림을 포함한

문학인들을 하나로 묶었던 화두일 터이다.

이가림의 새 시집에는 유난히 사랑 또는 그리움의 시편들이 많다. 그런데 유의할 것은 낭만적인 근대부정으로부터 일정하게 자유롭다는 점이다. '슬픈 귀향'이란 부제가 붙은 「오랑캐꽃 10」을 읽어보자.

밤으로 빠져나온 곳
이끌리어, 다시 이끌리어
예까지 몰래 왔다

범인이 현장에 다시 찾아가듯
지금 갈꽃 날리는 방죽가에 돌아와
숨어서 바라본다
엎드린 게딱지 지붕들의
촉수 낮은 불빛들

성큼 들어서지 못하고
문 밖에서만 엿보는 마당
퀴퀴한 청국장이라도 끓이고 있는가
어둑한 부엌에서
새어나오는 어머니의
밥그릇 달그락거리는 소리

나는 돌아가야 한다
부서진 얼굴을 감추고
돌아가야 한다
저 번쩍이는 도시의 수렁 속으로

밤 속으로

  이 시는 통상적인 고향 타령과 구별된다. 어머니로 대
표되는 고향에 대한 간절한 그리움에도 불구하고 시적 자
아는 차마 발길을 돌려 '저 번쩍이는 도시의 수렁 속으로'
스스로 빠져들어가니 여기에 이 시의 리얼리즘이 있다.
이 점에서 정지용의 「고향」(1932)과 기맥을 통한다. 「고
향」에서도 그 상실감은 고향이 변해서라기보다 시적 자아
가 변한 데에서 말미암기 때문이다. '마음은 제 고향 지니
지 않고 머언 항구로 떠도는 구름' —— 이미 자유로운 세
계를 맛본 사람은 고향에서 살 수 없다는 쓰디쓴 확인,
기억의 풍화작용 속에 고이 간직된 고향의 이미지가 경험
과 부딪쳐서 파열할 때 느끼게 되는 뼈저린 아픔이 「가고
파」류와는 질을 달리하는 것이다. 그런데 이가림의 작품
은 정지용에서 한걸음 더 나아갔다. '번쩍이는 도시의 수
렁'이 분명히 보여주듯이, 도시 또는 자본주의에 대한 시
인의 체험적 판단이 여기에 개입한다. 자본에 의한 농촌
의 절멸이라는 위기를 눈앞에 둔 우리 시대에 그럼에도
고향타령이라는 낭만적 위안으로는 이 위기를 극복할 수
없다는 인식이 이 작품을 관류하고 있는 것이다. 이 때문
에 정지용의 시가 어딘지 달콤한 데 비해 이 시는 시종
침중하다.
  그럼 시인은 어디에서 황금의 고리를 찾고 있는가? 나
는 「2만 5천 볼트의 사랑」이란 시에 주목하고 싶다.

    나는 지하철을 사랑한다
    2만 5천 볼트의 전류가 흐르는

인천행 지하철에 흔들릴 때마다
2만 5천 볼트의 사랑과
2만 5천 볼트의 고독이
언제나 내 안에 안개처럼
넘실거리기 때문이다

징그러운 발을 감추고
안 보이는 한쌍의 촉각을 세운 채
음습한 곳에 묻혀 사는 벌레들을
마구 잡아먹는
한마리 길다란 지네

그 꿈틀거리는 몸뚱어리 마디마디
환히 불 밝힌 방안에서
학생 공원 선생 군인 회사원
창녀 수녀 신문팔이 소매치기
이 땅의 눈물겨운 살붙이들 모두가
서로 뺨을 맞대고
서로 어깨를 비벼대고
서로 밀치고
서로 부추기고
서로 껴안으며
즐거운 지옥의 밧줄에 묶여 끌려간다

이리 부딪치고 저리 쓰러지는
그 장삼이사(張三李四)의 물결 속에
몸을 던져

나 또한 즐거이 자맥질한다

너의 살결에
나의 살결이 닿고
너의 숨결에
나의 숨결이 섞이는
황홀한 세상

　이 시는 지난 시집에 실린 「모닥불」과 연관되며, 더 거슬러오르면 백석의 「모닥불」(1936)에 이른다. 인간의 고리를 추구하는 주제상의 연속성에도 불구하고 이 시는, 왠지 쓸쓸하고 애틋한 앞의 작품들의 토운과 달리, 거침없이 활달하여 방일하기까지 하다. 아수라장을 방불케 하는 전철을 노래한 이 시가 왜 에네르기로 충만할까? 1843년 빠리에서 철도를 보고 하이네는 다음과 같이 경탄하였다.

　이것은 세계의 모습과 색깔을 바꾸는 새로운 전환을 인류에게 줄 것이다.… 철도에 의해 공간은 사라지고 우리에게 남은 것은 시간뿐… 이 두 개의 철로선이 벨기에와 독일로 뻗어나가 그곳의 철도와 연결된다면… 독일의 보리수 향내가, 그리고 문 앞에는 북해의 파도소리가 이미 닿은 것 같다. (「파리통신」에서)

　철도가 처음 근대에 당도했을 때의 낭만적 경이마저 사라진 시대에 시인은 왜 새삼 전철을 노래하고 있는가? 이 시는 물론 근대에 대한 철부지 찬가는 아니다. 전철을 먹성 좋은 지네로 표현하고 있듯이 시인은 근대를 결코

미화하지 않는다. 시인은 근대로부터 밀려난 사람들의 자기연민에 기초한 반근대의 포즈에서 벗어나, 하이네처럼 근대의 심장부에서 일어나는 거칠고도 싱싱한 인간의 고리에 눈을 뜨고 있는 것은 아닐까?

이 시집은 시인이 두번째 시집을 낸 지 무려 14년 만에 묶는 것이다. 그런만치 옛 작업의 흔적과 새로운 작업의 시작이 혼재하고 있어 일관성이 부족한 것이 못내 아쉽다. 특히 '해야 하리' 식의 주의적(主意的) 종지법이 남발된 시들이 적지 않아 갑자기 시적 긴장을 풀어버리는 것은 문제다. 그러나 좀체 빠져나올 수 없을 것 같던 침체의 수렁을 홀연히 벗어남으로써 창작력의 불가사의를 다시 한번 실감시켜준 이가림 시인의 제3시집 출간이 진실로 기쁘다. 모더니스트로 출발하여 민중시로 투신했다가 이제 양자를 지양하여 자기 시의 독자적 문법을, 아니 우리 시의 새로운 영토를 개척하려는 이가림 시인의 행보는 이미 눈부시게 아름답다. 마치 「하나가 되기 위한 빗방울들의 운동」이란 근사한 제목의 시의 마지막 연처럼.

　　하나뿐인 제 몸을 내던져
　　살갗과 살갗 서로 부비는
　　저 빛 머금은 눈물 같은
　　목숨들의 발걸음!

후   기

—— 현존의 빛을 찾아서

어디론가 미지의 '저쪽'을 향해 떠나가는 내 삶의 배, 그래도 물살을 가르며 하얗게 하얗게 물거품을 일으킨다. 나는 이 '물거품'을 좋아한다. 물거품은 언젠가 닿을 항구에의 전진의 기록이며 그 흔적이기 때문이다. 또한 그것은 생성과 소멸 그 자체, 희망과 전망의 신호 그 자체이다. 하얗게 부서졌다가 이내 스러지고 마는 미래이면서 과거이고 또 현재인 순간, 쓰라린 실패의 발자취, 외로운 실존과 가혹한 운명의 부딪침. 허무한 사라짐에서 새로운 생성으로의 이행 그 찰나에 태어나는 것 —— 내 삶의 배가 하얗게 하얗게 이 물거품을 일으키고 있는 한, 나는 팽팽하게 살아있는 것이며, 그리하여 끝내는 희망의 '저쪽'에 닿을 수 있는 것이라고 믿는다. 어떻게 해서든지 나는 삶에 이 희망을 연결시키고 싶다.

저 성배전설(聖杯傳說) 속의 청순한 기사 퍼시발처럼 나도 가느다란 '현존의 빛 —— 성배'를 언제까지나 찾아나서리라. 장애물 없는 인생길이란 처음부터 이 세상에 주어져 있지 않다고 보기에 종교적 초월이나 위안에 쉽사리 기대지 않고, 내 발부리로 돌멩이들을 걷어차며 커다란 사랑과 자연의 은총을 향해 나는 걸어갈 것이다. 커다란 사랑이란 너절하기 짝이 없는 질투와 노여움과 원망과 증

오와 짐승스러운 욕망의 감옥, 그 어두운 감옥 안에서는 찾을 수 없다. 인간들이 그 속에 빠져 헤매는 차가운 감옥 그 너머, 벌거벗은 벌판에 무상으로 쏟아지는 햇빛처럼, 참다운 사랑은 다만 따뜻하고 넉넉한 무상의 빛을 비춘다. 내가 이 세상에서 바라는 유일한 것, 그것은 참다운 사랑의 은총을 온몸으로 껴안는 것이다.

감히 '자기 시대의 비평의식으로서의 시인'이 되고자 하지만, 그것이 되기 전에 나는 소박하고 선량한 하나의 순수 개인이 되고 싶다. 이젠 엷은 우수의 분위기 따위를 졸업해야 할 나이지만, 이루 말할 수 없는 시린 사랑과 삶의 우수에 종종 젖게 됨은 어쩔 수 없는 일인가보다. '슬픔에 파닥거리며' 살아온 내가, 나의 미적 실존의 대상인 슬픔을 포기한다면, 그 슬픔이 서러워할 것만 같다. 이 세상의 많은 것들 중에서 어쩌자고 나는 슬픔이란 놈을 붙들었는지 모르겠다.

부대끼며 부대끼며 살아가는 삶의 진땀나는 이야기들을 그대로 시간의 재 속에 파묻어버릴 수가 없어, 남몰래 가슴속에 굴리고 굴리다가 쏟아놓은 것들이 어줍잖은 노래가 되어 드문드문 뿌려졌다. 시를 원수처럼 미워하며 도망쳤다가는 다시 돌아오고 돌아오곤 했던 지난날의 내 발걸음이 얼마나 부질없는 헤맴이었는지 이제 조금 알 듯하다.

일생을 통해 단 한 권의 시집을 묶는 것으로 시와의 내기를 끝내려 했던 적도 있었으나, 슬프고 아픈 탄식, 다급한 부르짖음을 계속 내뱉지 않을 수 없었다. 이제는 자잘하고 고달픈 사람의 일뿐만 아니라 우주적 교감의 경이로움에 눈을 떠, 생명의 뜻을 캐낼 줄 아는 쟁기꾼으로서의 시인이 되고 싶다. 『유리창에 이마를 대고』 이후 실로 오랜만에 내놓는 이번 시집이 하나의 봉화가 되어 먼곳에까지 존재의 신호를 보낼 수 있기를 바랄 뿐이다.

1995년 1월
이   가   림

창비시선 127

순간의 거울

초판 1쇄 발행 / 1995년 1월 25일
초판 3쇄 발행 / 2005년 6월 25일

지은이 / 이가림
펴낸이 / 고세현
펴낸곳 / (주)창비
등록 / 1986년 8월 5일 제85호
주소 / 413-756 경기도 파주시 교하읍 문발리 513-11
전화 / 031-955-3333
팩시밀리 / 영업 031-955-3399 · 편집 031-955-3400
홈페이지 / www.changbi.com
전자우편 / literat@changbi.com